I0763192

Chopin
2010

WYDANIE NARODOWE
DZIEŁ FRYDERYKA CHOPINA

NATIONAL EDITION
OF THE WORKS OF FRYDERYK CHOPIN

TRIO Op. 8

FOR PIANO, VIOLIN (VIOLA) AND CELLO

NATIONAL EDITION
Edited by JAN EKIER

SERIES A. WORKS PUBLISHED DURING CHOPIN'S LIFETIME. VOLUME XVII

FRYDERYK
CHOPIN

TRIO Op. 8
NA FORTEPIAN, SKRZYPCE (ALTÓWKĘ) I WIOLONCZELĘ

WYDANIE NARODOWE
Redaktor naczelny: JAN EKIER

FUNDACJA WYDANIA NARODOWEGO
POLSKIE WYDAWNICTWO MUZYCZNE SA
WARSZAWA 2021

SERIA A. UTWORY WYDANE ZA ŻYCIA CHOPINA. TOM XVII

Redakcja tomu: Jan Ekier, Paweł Kamiński
Opracowanie głosów smyczkowych: Krzysztof Jakowicz, Roman Jabłoński
Współpraca: Marceli Szczerek (partia altówki)

Komentarz wykonawczy i Komentarz źródłowy (skrócony) dołączone są do nut głównej serii *Wydania Narodowego* oraz do strony internetowej www.chopin-nationaledition.com

Pełne *Komentarze źródłowe* do poszczególnych tomów będą publikowane oddzielnie.

Wydany w oddzielnym tomie *Wstęp do Wydania Narodowego Dzieł Fryderyka Chopina – 1. Zagadnienia edytorskie* obejmuje całokształt ogólnych problemów wydawniczych, zaś *Wstęp... – 2. Zagadnienia wykonawcze* – całokształt ogólnych problemów interpretacyjnych. Pierwsza część *Wstępu* jest także dostępna na stronie www.pwm.com.pl

Editors of this Volume: Jan Ekier, Paweł Kamiński
Elaboration of string parts: Krzysztof Jakowicz, Roman Jabłoński
Collaboration: Marceli Szczerek (viola part)

A *Performance Commentary* and a *Source Commentary (abridged)* are included in the music of the main series of the *National Edition* and available on www.chopin-nationaledition.com

Full *Source Commentaries* on each volume will be published separately.

The *Introduction to the National Edition of the Works of Fryderyk Chopin 1. Editorial Problems*, published as a separate volume, covers general matters concerning the publication. The *Introduction... 2. Problems of Performance* covers all general questions of the interpretation. First part of the *Introduction* is also available on the website www.pwm.com.pl

Trio g-moll op. 8 / Trio in G minor Op. 8

about the Trio…

'As for my new compositions, I have nothing except the Trio in G minor, still not quite complete, which I started shortly after your departure. — I tried out the Allegro with accompaniment before leaving for Sanniki and intend to try the rest on my return.'

From a letter sent by Chopin to Tytus Woyciechowski in Poturzyn, Warsaw, 9 September 1828.

'But the Trio is not yet finished.'

From a letter sent by Chopin to Tytus Woyciechowski in Poturzyn, Warsaw, 27 December 1828.

'Last Friday […] [we played] Beethoven's last Trio. […] Serwaczyński [a violinist] accompanied, and he accompanies very nicely. […] When I return, and you are in Warsaw, we'll play the trio a couple of times, as he's promised me, because Biela[w]ski has to be asked and asked, and there is little difference. — In a word, he accompanies finely.'

From a letter sent by Chopin to Tytus Woyciechowski in Poturzyn, Warsaw, 20 October 1829.

'I accept, Sir, with great gratitude the dedication of the Trio composed by yourself, which you so graciously wish to offer me. I would even request that you hasten its printing, that I may have the pleasure of performing it with you on your passage through Poznań on the way to Berlin.

Please accept, my dear Chopin, renewed assurances of all the interest which your talent has inspired in me, and also of the high esteem that I cherish for you.

Antoine P-ce Radziwiłł'

Letter sent by Prince Antoni Radziwiłł to Chopin in Antonin, Antonin 4 November 1829.

'Tomorrow Kaczyński [cellist] and Bielawski [violinist] are coming. At 10 in the morning incognito in front of Elsner, Ernemann, Żywny and Linowski I'll be trying out my Polonaise with cello and Trio. We will play till we drop.'

From a letter sent by Chopin to Tytus Woyciechowski in Poturzyn, Warsaw, 21 August 1830.

'I tried out the Trio on Sunday last; perhaps because I'd not heard it for a long time, but I was quite pleased with myself (happy man!), just one idea came into my head, to use a viola instead of the violin, as with the violin the fifth [E string] resonates the most, and as this is played the least, a viola will be stronger against the cello, which is written in its proper ambit, and that to print.'

From a letter sent by Chopin to Tytus Woyciechowski in Poturzyn, Warsaw, 31 August 1830.

'The day after the concert [Chopin's first in Paris], I had no hesitation in asking Mr Chopin for all the works he had in his portfolio; and here is the list of works for which I acquired the ownership on the basis of a contract concluded with the composer:
[…] 2) Trio in G minor for piano, violin or viola and cello […]
Next Sunday I will hear the Trio in G minor performed by Mr Chopin and our foremost artists.'

From a letter sent by the Paris publisher Aristide Farrenc (who did not ultimately publish Chopin's works) to the Leipzig publisher Friedrich Kistner, Paris 17 April 1832.

'Is it not as noble as one could imagine, more visionary than any poet ever sang, original in the smallest particle as in the whole, every note – music and life itself?'

Robert Schumann, *Schriften über Musik und Musiker, 1836* (Leipzig 1890).

o Trio...

„Co się tycze nowych moich kompozycji, nic nie mam prócz jeszcze niezupełnie skończonego Tria G-minor, zaczętego wkrótce po twoim wyjeździe. — Próbowałem pierwsze Allegro z akompaniamentem przed wyjazdem do Sannik, za powrotem resztę myślę spróbować."

Z listu F. Chopina do Tytusa Woyciechowskiego w Poturzynie, Warszawa 9 IX 1828.

„Ale Trio jeszcze nie skończone."

Z listu F. Chopina do Tytusa Woyciechowskiego w Poturzynie, Warszawa 27 XII 1828.

„I tak zaprzeszłego piątku [...] było [...] Trio Beethovena ostatnie. [...] Serwaczyński [skrzypek] akompaniował, a on bardzo ładnie akompaniuje. [...] Jak powrócę i Ty już będziesz w Warszawie, parę razy zrobimy trio, co mi już obiecał, bo Biela[w]skiego strasznie prosić się trzeba, a mała różnica. — Słowem, ślicznie akompaniuje."

Z listu F. Chopina do Tytusa Woyciechowskiego w Poturzynie, Warszawa 20 X 1829.

„Przyjmuję z wielką wdzięcznością dedykację Tria Pana kompozycji, które chce mi Pan łaskawie ofiarować. Prosiłbym nawet o przyspieszenie jego druku, tak abym miał przyjemność wykonać je z Panem podczas pańskiego przejazdu przez Poznań w drodze do Berlina.

Przyjmij, mój drogi Chopinie, ponowne zapewnienie o pełnym zainteresowaniu, które wzbudza we mnie Pański talent, jak również o szczególnym uznaniu, jakie żywię dla Pana.

Antoni ks. Radziwiłł"

List ks. Antoniego Radziwiłła do F. Chopina w Antoninie, Antonin 4 XI 1829.

„Jutro Kaczyński [wiolonczelista] i Bielawski [skrzypek] są u mnie. Rano o 10-ej incognito przy Elsnerze, Ernemannie, Żywnym i Linowskim próbuję mój Polonez z Violoncellą i Trio. Będziemy grać do zabicia."

Z listu F. Chopina do Tytusa Woyciechowskiego w Poturzynie, Warszawa 21 VIII 1830.

„Trio próbowałem w przeszłą niedzielę, nie wiem, może dlatego, żem go dawno nie słyszał, alem był dosyć k o n t e n t z s i e b i e (szczęśliwy człowiek!), tylko mi jeden koncept przyszedł do łba, żeby zamiast skrzypców użyć altówki, albowiem u skrzypców kwinta [struna E] najwięcej rezonuje, a tym na niej najmniej się gra, altówka będzie mocniejszą przeciw Violoncelli, która jest w właściwej swojej sferze pisana, i to do druku."

Z listu F. Chopina do Tytusa Woyciechowskiego w Poturzynie, Warszawa 31 VIII 1830.

„Następnego dnia po [jego pierwszym paryskim] koncercie nie zawahałem się poprosić Pana Chopin o wszystkie utwory, które miał w tece; a oto lista utworów, na które nabyłem prawo własności na podstawie umowy zawartej z autorem:
[...] 2) Trio g-moll na fortepian, skrzypce lub altówkę i wiolonczelę [...]
W najbliższą niedzielę posłucham Tria g-moll w wykonaniu Pana Chopin i naszych najlepszych artystów."

Z listu niedoszłego paryskiego wydawcy utworów Chopina, Aristide'a Farrenc, do lipskiego wydawcy Friedricha Kistnera, Paryż 17 IV 1832.

„Czyż nie jest ono tak szlachetne, jak to można sobie wyobrazić, tak marzycielskie, jak żaden jeszcze poeta nie śpiewał, oryginalne w najmniejszej cząstce jak w całości, każda nuta – sama muzyka i życie?"

Robert Schumann, *Schriften über Musik und Musiker, 1836*, Lipsk 1890.

Trio pour Piano, Violon et Violoncelle

A son Altesse Monsieur le Prince Antoine Radziwill

op. 8

* Patrz *Komentarz źródłowy.*
Vide *Source Commentary.*

** Patrz *Komentarz wykonawczy.*
Vide *Performance Commentary.*

tr
poco cresc.
dim.
p
espressivo
cresc.
sempre
rubato

[ritenuto]
[ritenuto]
cresc. ed appassionato
f
ritenuto
p
25
[a tempo]
[a tempo]
f marcato
[a tempo]
p
mf
marcato
28
(leggiero)
dolce
p
legato
31
risoluto
p
cresc.
cresc.
34

37
f
ff
fz
con forza
(Ped)
39
p
decresc.
8
42
cresc.
f
p
45
fz
tr

* Patrz *Komentarz wykonawczy.*
Vide *Performance Commentary.*

tr
poco ritenuto
poco ritenuto
cresc.
dim.
poco ritenuto
in tempo
pp
in tempo
in tempo
poco
cresc.
cresc.

65
fz
cresc.
fz
cresc.
cresc.
68
8
con forza
f
f
p
[p
cresc.]
cresc.
cresc.
71
fzp
74
p
1.
pp

2.
2.
risoluto
76
82
87
89
legato
ben marcato
[p]
8

f
dim.
legato
cresc.

sotto voce
p sempre legato
dolce
dolce
dim.
f
99
101
103
105

pp
pp
pp e sempre legato
107
Ped
sempre p
110
cresc.
cresc.
113
dim.
p
116
poco cresc.
decresc.
dim.

119
p
121
5
dim.
pp
123
3
pp
pp
125

127
poco - - - a - - - poco - - -
p
p
129
cresc.
dim.
p
p
131
dim.
133
pp
smorz.

f risoluto
f risoluto
135
ff risoluto
fz
f
f
140
p
144
147
tr
tr
tr

150
espressivo
153
cresc.
156
ru - ba - to
159
appassionato

marcato
f
(f)
162
marcato
p
[p]
dolce
p
165
p
168
4
poco
cresc.
f
171
fz
5 2 3
1 3

173
176
179
182

espress.
p e leggiero
cresc.
dim.
riten.
ritard.
[riten.]

[in tempo]
p [in tempo]
dolce
cresc.
p [in tempo]
193
196
p
cresc.
199
cresc.
202
sempre più forte

f
cresc.
ff
con forza
205
208
211
risoluto
215
mf
legato

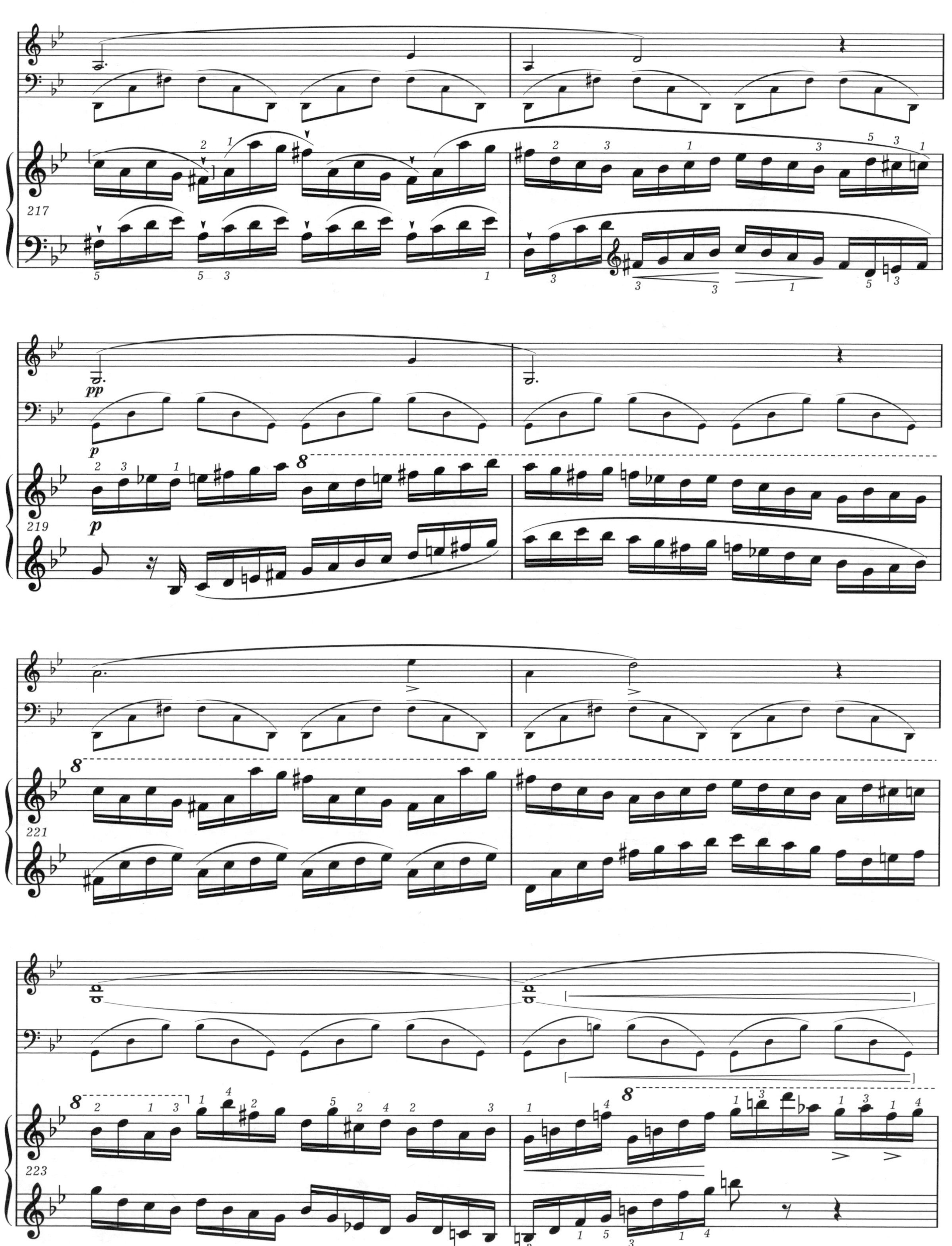

8
f
225
dim.
f
mf
227
sempre legato
229
pp
pp
8
231
p

cresc.
poco ri-
ritenuto
ritenuto
-tenuto
molto con fuoco
cre - scen - do

SCHERZO

* W tej części tr = ⁓.
In this movement tr = ⁓.

1.
pizz.
[arco]
2.
arco
[f]
dim.
pizz.
arco
p legatiss.
(>)

pizz.
arco
pizz.
arco
40
pizz.
pizz.
arco
arco
45
con delicatezza
50
poco a poco diminuendo
55

espress.
legato
poco
cresc.
sempre legato
tr
fz
[p]
p
cresc.
pizz.
arco
[f]
1.
2.
Fine

TRIO

* Inna autentyczna artykulacja:
Another authentic articulation:

Scherzo da Capo al Fine
[senza repetizione]

ADAGIO

Sostenuto ♩ = 63
Sostenuto ♩ = 63
f con forza
espress.
cresc.
p legato

6
dim.
7
p
espress.
17
marcato
cresc.
3
p
5
3
21
fz
f
fz
fz
p
appassionato
5
p
25
sempre
piano
cresc.
f
p
3
pp
29
poco cresc.
p
dim.

con forza
con anima
p legatiss.
dolente
legato
rinforz.
pesante

dolce
p dolce
cresc.
sempre legato
dim.
smorz.
Ped

63
cresc.
stretto
pesante
68
ritard.
a tempo
espress. e ritard.
a tempo
appassionato
ritard.
stretto
73
dolce
78
rallent.
e
rallent.
smorzando

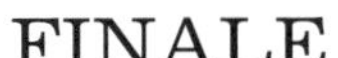

FINALE

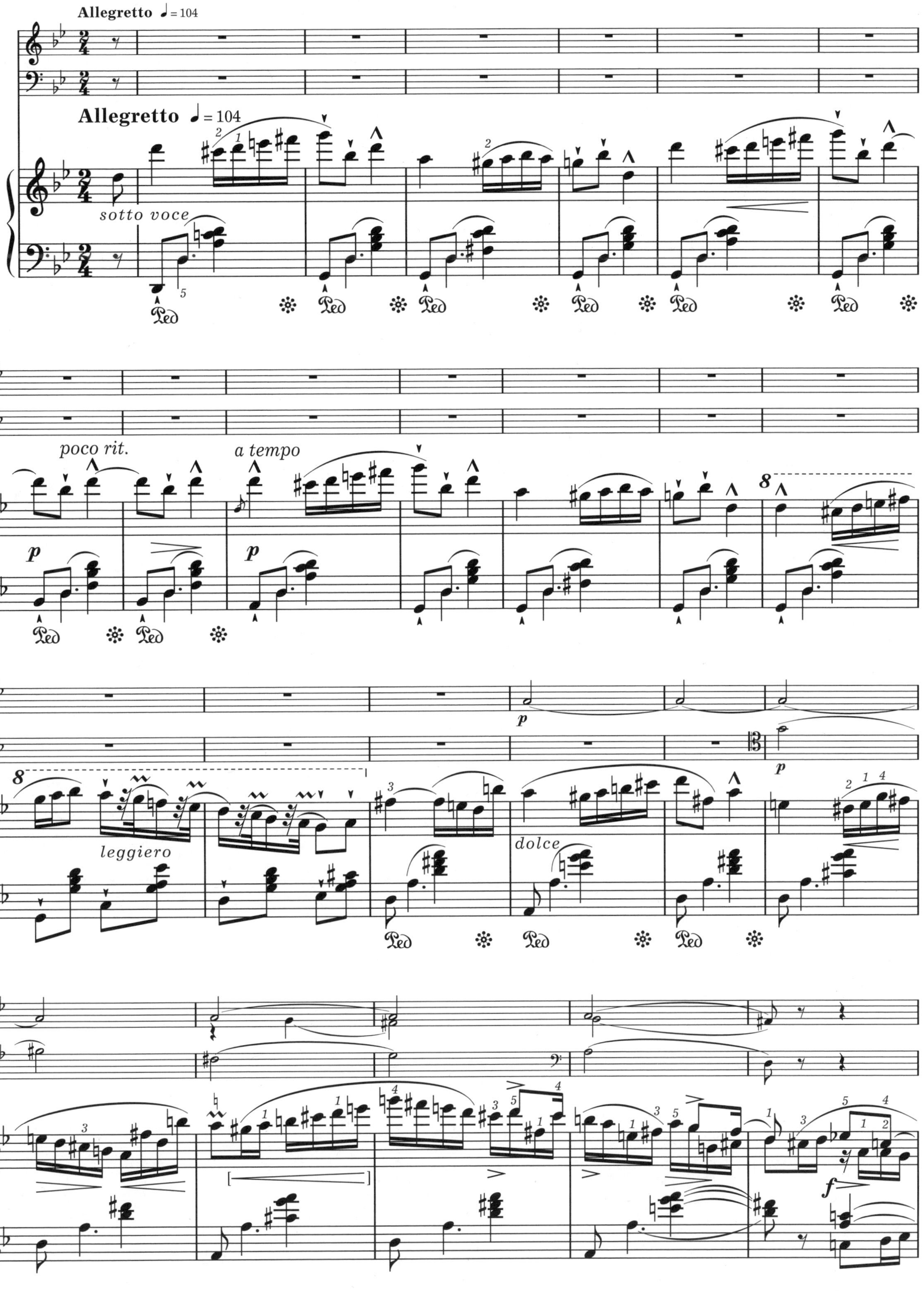
Allegretto ♩ = 104
Allegretto ♩ = 104
sotto voce
poco rit.
a tempo
p
p
7
8
leggiero
14
dolce
p
p
20
f

con fuoco
con fuoco
con fuoco

45
cresc.
49
cresc.
cresc.
fzp
53
cre - - scen - do
ff
espress.
fz con forza
57

8
staccato
dimin.
62
Ped
fz
p
67
espress.
cresc.
72
cresc.
77

82
87
[p]
8
ff
marcato
cresc.
92
poco - - a - - poco - - - cre - - scen - - do
fp
cresc.
fzp
Ped
97
pp

* Fragment ten (t. 112-115) można wykonać dwiema rękami.
This fragment (bars 112-115) can be performed with both hands.

a tempo
a tempo
a tempo
124
129
leggiero
134
p
p
tr
139

con fuoco
con fuoco
cresc.
Ped

* Patrz *Komentarz wykonawczy* i *źródłowy*.
Vide *Performance* and *Source Commentaries*.

pizz.
arco
cresc.
cresc.

* Patrz *Komentarz wykonawczy* i *źródłowy*.
Vide *Performance* and *Source Commentary*.

poco
stretto
e
cre
scen
do
p
poco
stretto
e
cre
scen
do
p
poco
stretto
e
cre
scen
do
(p)
dimin.
sempre
ben
marcato

245
250
255
p
cresc.
259
8

cresc.
ff
f
sempre f
8
263
con forza
ff
f
268
273
277
(appassionato)
cresc.
sf
p

282
287
292
298
sempre
più
cresc.
ed
animato
sempre più cresc. [ed animato]
sempre
più
[animato e]
cre
scen
do
sempre più f
con forza
cresc.
Ped

WYDANIE NARODOWE DZIEŁ FRYDERYKA CHOPINA

Plan edycji

Seria A. UTWORY WYDANE ZA ŻYCIA CHOPINA

1 **A I** **Ballady** op. 23, 38, 47, 52

2 **A II** **Etiudy** op. 10, 25, Trzy Etiudy (Méthode des Méthodes)

3 **A III** **Impromptus** op. 29, 36, 51

4 **A IV** **Mazurki (A)** op. 6, 7, 17, 24, 30, 33, 41, Mazurek a (Gaillard), Mazurek a (z albumu La France Musicale /Notre Temps/), op. 50, 56, 59, 63

5 **A V** **Nokturny** op. 9, 15, 27, 32, 37, 48, 55, 62

6 **A VI** **Polonezy (A)** op. 26, 40, 44, 53, 61

7 **A VII** **Preludia** op. 28, 45

8 **A VIII** **Ronda** op. 1, 5, 16

9 **A IX** **Scherza** op. 20, 31, 39, 54

10 **A X** **Sonaty** op. 35, 58

11 **A XI** **Walce (A)** op. 18, 34, 42, 64

12 **A XII** **Dzieła różne (A)** Variations brillantes op. 12, Bolero, Tarantela, Allegro de concert, Fantazja op. 49, Berceuse, Barkarola; *suplement* – Wariacja VI z „Hexameronu"

13 **A XIIIa** **Koncert e-moll** op. 11 na fortepian i orkiestrę (wersja na jeden fortepian)

14 **A XIIIb** **Koncert f-moll** op. 21 na fortepian i orkiestrę (wersja na jeden fortepian)

15 **A XIVa** **Utwory koncertowe** na fortepian i orkiestrę op. 2, 13, 14 (wersja na jeden fortepian)

16 **A XIVb** **Polonez Es-dur** op. 22 na fortepian i orkiestrę (wersja na jeden fortepian)

17 **A XVa** **Wariacje na temat z *Don Giovanniego* Mozarta** op. 2. Partytura

18 **A XVb** **Koncert e-moll** op. 11. Partytura (wersja historyczna)

19 **A XVc** **Fantazja na tematy polskie** op. 13. Partytura

20 **A XVd** **Krakowiak** op. 14. Partytura

21 **A XVe** **Koncert f-moll** op. 21. Partytura (wersja historyczna)

22 **A XVf** **Polonez Es-dur** op. 22. Partytura

23 **A XVI** **Utwory na fortepian i wiolonczelę** Polonez op. 3, Grand Duo Concertant, Sonata op. 65

24 **A XVII** **Trio na fortepian, skrzypce i wiolonczelę** op. 8

Seria B. UTWORY WYDANE POŚMIERTNIE

(Tytuły w nawiasach kwadratowych [] są tytułami zrekonstruowanymi przez WN, tytuły w nawiasach prostych // są dotychczas używanymi, z pewnością lub dużym prawdopodobieństwem, nieautentycznymi tytułami)

25 **B I** **Mazurki (B)** B, G, a, C, F, G, B, As, C, a, g, f

26 **B II** **Polonezy (B)** B, g, As, gis, d, f, b, B, Ges

27 **B III** **Walce (B)** E, h, Des, As, e, Ges, As, f, a

28 **B IV** **Dzieła różne (B)** Wariacje E, Sonata c (op. 4)

29 **B V** **Różne utwory** Marsz żałobny c, [Warianty] /Souvenir de Paganini/, Nokturn e, Ecossaises D, G, Des, Kontredans, [Allegretto], Lento con gran espressione /Nokturn cis/, Cantabile B, Presto con leggierezza /Preludium As/, Impromptu cis /Fantaisie-Impromptu/, „Wiosna" (wersja na fortepian), Sostenuto /Walc Es/, Moderato /Kartka z albumu/, Galop Marquis, Nokturn c

30 **B VIa** **Koncert e-moll** op. 11 na fortepian i orkiestrę (wersja z drugim fortepianem)

31 **B VIb** **Koncert f-moll** op. 21 na fortepian i orkiestrę (wersja z drugim fortepianem)

32 **B VII** **Utwory koncertowe** na fortepian i orkiestrę op. 2, 13, 14, 22 (wersja z drugim fortepianem)

33 **B VIIIa** **Koncert e-moll** op. 11. Partytura (wersja koncertowa)

34 **B VIIIb** **Koncert f-moll** op. 21. Partytura (wersja koncertowa)

35 **B IX** **Rondo C-dur** na dwa fortepiany; **Wariacje D-dur** na 4 ręce; *dodatek* – wersja robocza Ronda C-dur (na jeden fortepian)

36 **B X** **Pieśni i piosnki**

37 **Suplement** Utwory częściowego autorstwa Chopina: Hexameron, Mazurki Fis, D, D, C, Wariacje na flet i fortepian; harmonizacje pieśni i tańców: „Mazurek Dąbrowskiego", „Boże, coś Polskę" (Largo), Bourrées G, A, Allegretto A-dur/a-moll

NATIONAL EDITION OF THE WORKS OF FRYDERYK CHOPIN

Plan of the edition

Series A. WORKS PUBLISHED DURING CHOPIN'S LIFETIME

1 **A I** **Ballades** Opp. 23, 38, 47, 52

2 **A II** **Etudes** Opp. 10, 25, Three Etudes (Méthode des Méthodes)

3 **A III** **Impromptus** Opp. 29, 36, 51

4 **A IV** **Mazurkas (A)** Opp. 6, 7, 17, 24, 30, 33, 41, Mazurka in a (Gaillard), Mazurka in a (from the album La France Musicale /Notre Temps/), Opp. 50, 56, 59, 63

5 **A V** **Nocturnes** Opp. 9, 15, 27, 32, 37, 48, 55, 62

6 **A VI** **Polonaises (A)** Opp. 26, 40, 44, 53, 61

7 **A VII** **Preludes** Opp. 28, 45

8 **A VIII** **Rondos** Opp. 1, 5, 16

9 **A IX** **Scherzos** Opp. 20, 31, 39, 54

10 **A X** **Sonatas** Opp. 35, 58

11 **A XI** **Waltzes (A)** Opp. 18, 34, 42, 64

12 **A XII** **Various Works (A)** Variations brillantes Op. 12, Bolero, Tarantella, Allegro de concert, Fantaisie Op. 49, Berceuse, Barcarolle; *supplement* – Variation VI from "Hexameron"

13 **A XIIIa** **Concerto in E minor** Op. 11 for piano and orchestra (version for one piano)

14 **A XIIIb** **Concerto in F minor** Op. 21 for piano and orchestra (version for one piano)

15 **A XIVa** **Concert Works** for piano and orchestra Opp. 2, 13, 14 (version for one piano)

16 **A XIVb** **Grande Polonaise in E♭ major** Op. 22 for piano and orchestra (version for one piano)

17 **A XVa** **Variations on "Là ci darem" from "Don Giovanni"** Op. 2. Score

18 **A XVb** **Concerto in E minor** Op. 11. Score (historical version)

19 **A XVc** **Fantasia on Polish Airs** Op. 13. Score

20 **A XVd** **Krakowiak** Op. 14. Score

21 **A XVe** **Concerto in F minor** Op. 21. Score (historical version)

22 **A XVf** **Grande Polonaise in E♭ major** Op. 22. Score

23 **A XVI** **Works for Piano and Cello** Polonaise Op. 3, Grand Duo Concertant, Sonata Op. 65

24 **A XVII** **Piano Trio** Op. 8

Series B. WORKS PUBLISHED POSTHUMOUSLY

(The titles in square brackets [] have been reconstructed by the National Edition; the titles in slant marks // are still in use today but are definitely, or very probably, not authentic)

25 **B I** **Mazurkas (B)** in B♭, G, a, C, F, G, B♭, A♭, C, a, g, f

26 **B II** **Polonaises (B)** in B♭, g, A♭, g♯, d, f, b♭, B♭, G♭

27 **B III** **Waltzes (B)** in E, b, D♭, A♭, e, G♭, A♭, f, a

28 **B IV** **Various Works (B)** Variations in E, Sonata in c (Op. 4)

29 **B V** **Various Compositions** Funeral March in c, [Variants] /Souvenir de Paganini/, Nocturne in e, Ecossaises in D, G, D♭, Contredanse, [Allegretto], Lento con gran espressione /Nocturne in c♯/, Cantabile in B♭, Presto con leggierezza /Prelude in A♭/, Impromptu in c♯ /Fantaisie-Impromptu/, "Spring" (version for piano), Sostenuto /Waltz in E♭/, Moderato /Feuille d'Album/, Galop Marquis, Nocturne in c

30 **B VIa** **Concerto in E minor** Op. 11 for piano and orchestra (version with second piano)

31 **B VIb** **Concerto in F minor** Op. 21 for piano and orchestra (version with second piano)

32 **B VII** **Concert Works** for piano and orchestra Opp. 2, 13, 14, 22 (version with second piano)

33 **B VIIIa** **Concerto in E minor** Op. 11. Score (concert version)

34 **B VIIIb** **Concerto in F minor** Op. 21. Score (concert version)

35 **B IX** **Rondo in C** for two pianos; **Variations in D** for four hands; *addendum* – working version of Rondo in C (for one piano)

36 **B X** **Songs**

37 **Supplement** Compositions partly by Chopin: Hexameron, Mazurkas in F♯, D, D, C, Variations for Flute and Piano; harmonizations of songs and dances: "The Dąbrowski Mazurka", "God who hast embraced Poland" (Largo) Bourrées in G, A, Allegretto in A-major/minor

Okładka i opracowanie graficzne · Cover design and graphics: MARIA EKIER
Tłumaczenie angielskie · English translation: JOHN COMBER

Fundacja Wydania Narodowego Dzieł Fryderyka Chopina
ul. Okólnik 2, pok. 405, 00-368 Warszawa
www.chopin-nationaledition.com

Polskie Wydawnictwo Muzyczne SA
al. Krasińskiego 11a, Kraków
www.pwm.com.pl

Wyd. I. Printed in Poland 2021. Drukarnia REGIS Sp. z o.o.
05-230 Kobyłka, ul. Napoleona 4

ISMN 979-0-9013366-5-0